365

6

PRINCIPIOS Y PENSAMIENTOS

PARA EL ÉXITO INTEGRAL

3

6

PRINCIPIOS Y
PENSAMIENTOS
PARA EL ÉXITO INTEGRAL

5

ANDRÉS LONDOÑO

365 PRINCIPIOS Y PENSAMIENTOS PARA EL ÉXITO INTEGRAL

Copyright © Andrés Londoño. 2021
Primera edición en Proyectos Sin Límites S.A.S. Junio 2021
www.proyectossinlimites.com
Celular 3228559848

ISBN Impreso 978-958-53410-2-9
ISBN Digital 978-958-53410-3-6

Diseño de portada y diagramación: Agencia Ciclo Creativo.
Corrección de estilo: Editorial Proyectos Sin Límites S.A.S.
Impreso por: Multi-impresos S.A.S

Impreso en Colombia 2021 – Printed in Colombia

Proyectos
SIN LÍMITES

ÍNDICE

INTRODUCCIÓN

Los principios son los fundamentos de una existencia plena, son las reglas en este juego llamado vida... Por eso, definitivamente, si desde nuestra infancia nos hubieran inculcado la importancia de atesorar leyes, principios y valores, los resultados de nuestra vida serían diferentes.

La importancia de los principios radica en que, si los entiendo y los aplico, mis resultados serán positivos al alinearme con el fluir de la creación, que es perfecta y está diseñada para la plenitud, en tanto que lo contrario al flujo natural conlleva resultados adversos. En suma, mis resultados vienen de mis acciones y estas de mis decisiones, que están influidas por lo que pienso y siento (mis creencias).

Una persona no decide lo mismo sobre su futuro si piensa que la vida es injusta, su desinterés será manifestado en un menor esfuerzo y por eso tendrá resultados negativos; en cambio, para el que piensa que la vida es justa el esfuerzo será natural porque está seguro de que será recompensado. Por ende, lo que tenga en mi mente determinará el grado de éxito en mi vida.

Muchas personas tienen paradigmas, pensamientos amalgamados en la mente de un ser humano por cultura, costumbre, la televisión, asociación, etc., que se suelen confundir con principios por ser percibidos como una verdad. Para ser calificados como tal los principios deben satisfacer unas exigencias: la primera es que sean Universales, apliquen en todo y para todos, y la segunda, es que sean eternos, que su vigencia no se altere con el tiempo.

Un ejemplo de paradigma son las prácticas supersticiosas, como colocar un vaso con agua bajo la cama para evitar la presencia de un espíritu, no pasar por debajo de una escalera porque atrae mala suerte, salir a pasear con una maleta el 31 de diciembre para que durante el siguiente año se viaje mucho. Todos estos aspectos son creencias, que claramente no son verdad; el principio que sustenta estas ideas es que, tanto como creo que es posible o como creo que no, así será, en lo que crea eso creo. Es decir, la persona le da poder a una creencia sin entender el principio, es el poder del Creer.

Otro aspecto importante de un principio es que es correcto, si genera o lleva a algo incorrecto no es un principio. Entonces ¿Qué es correcto? Lo que para mí y para todas las personas del mundo sea bueno. Una de las mejores formas de identificar si algo es correcto es evaluar: ¿el mundo sería mejor si todos hacen lo que pretendo hacer? Un ejemplo sería el cigarrillo, ¿qué pasaría con el mundo si todos fumáramos?, ¿puede hacerlo un bebé?, ahora pregúntate ¿Qué pasaría si todos hacemos deporte y tenemos una vida saludable? El principio que sustenta estas preguntas sería, mis hábitos determinan mi futuro, si fumo tengo enfermedad, si hago deporte tengo salud. Lo que determina la decisión es el nivel de conciencia y, por tanto, uno de los factores claves de los principios es que son manifestados por mi conciencia para guiar mi vida.

Ahora bien, queda claro que las personas deciden, casi todo, basadas en sus creencias, sin evaluar su veracidad e impacto; pero si ahondamos, los principios apelan al sentido común y a la naturaleza, siendo paradójico que los obviemos. Revisemos este ejemplo: es de amplio conocimiento que lo positivo suma y lo negativo resta; es obvio, pero aún así, hacemos cosas negativas, hablamos negativo, pensamos negativo, esperando resultados positivos.

Podría apelar a muchas más explicaciones y ejemplos sobre la importancia de entender los principios, adoptarlos y aplicarlos en tu vida, pero el objetivo de este libro es dártelos limpios, para leerlos cuantas veces sean necesarias. En este libro encuentras 365 principios y pensamientos que sirven como base para empezar a llenar nuestra mente de ellos. Estos principios y pensamientos han sido extraídos de mis primeros 6 libros, en los cuales insisto en la importancia de vivir una vida basada en la conciencia a través de los mismos.

Apelando al poder de la información para crear con- ciencia, te comparto de manera simple cada prin- cipio o pensamiento, en forma de frase, para que los leas cuantas veces quieras hasta memorizarlos e instalarlos en tu subconsciente, y de esta manera revertir el proceso en tus resultados ya que, antes de actuar, tu mente irá a su base de datos, y es posible que identifiques el principio en una circunstancia específica y lo recuerdes; tras ello y a partir del prin- cipio del Libre albedrío tendrás la posibilidad de apli- carlo o no, ¡Esa es la cascarita!, puedes saberlos pero su aplicación depende de tu decisión.

Con base en lo anterior, es claro que no bastará con memorizarlos, lo importante es aplicarlos, pero lle- varlos en tu mente facilita el paso a su aplicación, bastando una decisión.

Lee cada principio o pensamiento y medita en ellos, piensa con profundidad, disciérnelos, evalúalos se- gún tus creencias, y hazlo todos los días en la canti- dad que quieras, aunque el libro contiene el numero exacto para que puedas leer uno diario y se cubra todo el año. Poco a poco removerás viejas creencias y paradigmas, y serán remplazados por principios fundamentales para el éxito integral; de esta mane- ra tu vida empezará un camino de transformación aplicando este principio: Cambiar tu mentalidad para cambiar tu realidad.

MENTALIDAD

1

La mente emana lo conveniente, la
conciencia emana lo correcto.

2

El poder de la mentalidad en el individuo no es
moda, es una realidad absoluta que
siempre ha existido.

3

Todo ser humano tiene la capacidad de crear, tú
puedes crear si crees que puedes.

4

Aprende a identificar en qué piensas y direcciona tus pensamientos.

5

Desarrolla el arte de pensar y crear, no importa que mañana tu primer pensamiento no sirva, sigue intentándolo.

6

Desarrollar una mentalidad para el éxito, es un proceso que toma tiempo.

7

Los problemas son reales, pero si la actitud crece, los problemas se vuelven pequeños.

8

La mente está ligada al corazón, lo que pienso, siento y lo que siento, pienso.

9

No eres lo que piensas, incluso no eres lo que sientes; saber esto garantiza tu estado emocional.

10

Dominar tus pensamientos y emociones, y saber que son parte y no todo de ti, cambia la vida.

11

La mente es la mejor herramienta para hacer real y grandiosa tu vida.

12

El alimento es al cuerpo como la información a la mente.

13

La mente es vacía, lo importante de ello es que la puedes ocupar con lo que desees.

14

La misma mente te puede llevar a mendigo o a millonario, obsesiónate por estudiar y seleccionar la información que pones en ella.

15

La mente es tan poderosa que puede ser peligrosa.

16

Si cambio mi mentalidad, cambio mi realidad.

17

La mente es muy inteligente mas no es sabia; la sabiduría viene de Dios.

18

Cuando el cerebro tiene tiempo, se ocupa en el ocio.

ÉXITO

19

Entrénate para correr la mejor maratón de tu vida, el éxito.

20

Si quieres ser exitoso, empieza por conocer y adoptar las acciones y hábitos de los exitosos.

21

Obsérvate más y elimina la autocomplacencia - Ella te aleja del éxito.

22

El éxito como logro no genera tanta satisfacción como el proceso y el camino que conducen a él.

23

No ignores el poder que tiene afirmar, declarar y visualizar el éxito.

24

Las personas soñadoras piensan en lo imposible como algo posible.

25

Obsesiónate con el logro, desarrollando hábitos y acciones para el éxito.

26

Algunos de los recursos universales para el éxito son el tiempo y el dinero, cultívalos.

27

El éxito es la suma de pequeños pasos o acciones orientados en la dirección correcta.

28

El éxito es cuestión de valentía, acción y atender al corazón.

29

Fracasar es un principio para el éxito
- No hay éxito sin fracaso.

30

La excelencia es hermana del éxito.
Exígete, sé excelso.

31

La espiritualidad potencializa el éxito, pero la falta de éxito puede quebrar la espiritualidad.

32

El amor aplicado al éxito es fuente de máxima energía.

33

El éxito es un acto de amor propio.

34

La integridad es la mejor estrategia para el éxito, en el largo plazo.

35

El éxito es el resultado de tu trabajo interno.

36

En todo proceso de éxito, las leyes, los valores y los principios son los mismos.

37

Es vital que comprendas la tridimensionalidad del éxito. Todo lo que hacemos tiene impacto en tres áreas (espíritu, mente y cuerpo), por eso evalúa cada acción en cada dimensión.

38

El núcleo del éxito es la mentalidad.

39

La búsqueda de la humanidad va más allá del simple éxito o la felicidad.

40

Tener fe es el comienzo de todo gran éxito.

41

La vanidad es una trampa para el éxito.
La humildad contrarresta la vanidad.

ACCIÓN

42

La autoconfianza se gana a través de la acción.

43

La genética del milagro es Fe + Acción.

44

Pensando nunca se ha hecho un milagro, es actuando como se provocan.

45

Una perspectiva positiva genera impulso a la acción.

46

Las acciones no son nada si no tienen los valores.

47

Hay dos factores que potencializan la acción: la actitud y la intención. No es hacerlo por hacerlo, es hacerlo bien y con amor.

48

La acción en sí misma no tiene valor, lo que la define es la intención.

49

La intención de la acción determina la bendición.

50

Todos mis resultados están precedidos por mis acciones.

METAS

51

Ninguna meta se logra por casualidad, las metas son intencionadas.

52

La mente no es amiga de las metas.

53

Tener una meta es una decisión consciente.

54

A mayor acción, más resultados.

55

Los seres humanos tienen la capacidad de incrementar de manera drástica sus acciones.

56

Todo error es una manera más inteligente de aprender a hacer las cosas.

57

No cambies la meta, cambia la estrategia hasta lograrla.

58

La mayoría de las ideas llegan cuando estás en acción.

59

Lo que no se mide no se mejora.

60

Concéntrate en avanzar y no solo en llegar a la meta.

61

Mantén los ojos en la meta y el cuerpo en la acción.

DISCIPLINA

62

La autodisciplina es el valor que me ayuda a controlar mis emociones.

63

Cuando las metas están claras la disciplina se manifiesta.

64

La autodisciplina no es para sufrir, es para lograr lo que anhelas.

65

El enemigo de la autodisciplina es la distracción.

66

La disciplina tiene mucho valor en el éxito, por eso genera tanta tensión.

67

La verdadera disciplina nace en el corazón.

68

La disciplina es un gran acto consciente.

69

El mal humor tiene la capacidad de robar
la autodisciplina.

70

Paga el precio de la disciplina y no pagarás el
precio del arrepentimiento.

71

La disciplina es un valor que tiene magia, tiene la capacidad de hacer realidad tus sueños.

72

La falta de disciplina menosprecia el alma.

73

Tu mejor vida surge tras superar lo que te genera resistencia.

74

La postergación es una devoradora de la oportunidad de vivir una vida en prosperidad.

SUEÑOS

75

La comodidad es el mayor asesino de los sueños.

76

El sueño es futuro y las acciones son presente. El futuro que ves es el futuro que consigues.

77

Los sueños te dan dirección y el enfoque te brinda la energía vital para lograrlos.

78

Un verdadero sueño se incrusta en el corazón y anula la posibilidad de renuncia.

79

Un sueño razonable no inspira a nadie, sueños de grandeza generan acciones de grandeza.

80

El sueño genera energía. Los que más sueñan, más hacen.

81

El sueño despierta en ti la esperanza.

82

Los sueños nunca mueren, tú te rindes.

83

Con los sueños empieza la responsabilidad
de cumplirlos.

84

La depresión nace del desequilibrio entre lo que se anhela y lo que se logra.

85

El tiempo resulta muy corto cuando tienes sueños claros y tus hábitos están alineados con ellos.

86

El problema de quienes no logran desarrollar sus sueños es que olvidaron cuál era su razón para vivir.

87

Los mayores logros de la humanidad fueron sueños y hoy son realidad.

88

Para cumplir mis sueños debo pagar un precio y el esfuerzo es natural.

89

Trabajar por lo que sueñas te hace feliz.

ACTITUD

90

La actitud es poderosa, determina tu éxito o fracaso.

91

La actitud se siente, es la manifestación de quién eres.

92

La duda resta a la actitud.

93

No es posible tener una buena actitud sin dominar el ego.

94

La actitud es fruto y no raíz. La actitud se construye.

95

Mejor actitud, mejores resultados en la vida.

96

Tenemos la libertad de decidir qué actitud asumir frente a cualquier circunstancia en la vida.

97

Ser auténtico es esencial para una buena actitud, lo falso se siente.

98

El factor distinguible entre un ganador y un perdedor es la actitud.

99

Si el pensamiento es corregido,
la actitud se transforma.

100

Los pensamientos tienen presencia.

101

Lo que piensas de ti, es directamente
proporcional a lo que invertirías en ti. Si no hay
seguridad en tu interior, no puedes avanzar.

FRACASO

102

Los únicos que no fracasan son los que no intentan nada.

103

Cada fracaso es una oportunidad de crecer.

104

A nivel empresarial, a veces es mejor tomar malas decisiones que no tomar decisiones.

105

Fracasar es un paso obligatorio para el éxito.

106

Aprende a emular la actitud de los exitosos
frente a los fracasos.

107

La forma de acelerar el proceso del éxito es
fracasando más rápido.

108

Hay fracasos que tienen más valor
que un gran éxito.

109

El fracaso y la innovación son hermanos.

110

El fracaso y la frustración son dos de las mejores
cosas que le pueden ocurrir a un campeón.

111

El dolor te genera reflexión y esto te ayuda a progresar. Acepta el dolor.

112

Soporta el diluvio y llegara tu arcoíris.

VALENTÍA

113

La valentía da el empujón para poner la acción.

114

La valentía cierra la brecha entre el deseo
y la acción.

115

Valentía es actuar a pesar del miedo.

116

Dios no hace su obra con cobardes.

117

La valentía es para empezar y la disciplina para continuar.

118

El único requisito para ser valiente es sentir miedo.

119

Evitar los problemas es ser valiente y sabio.

120

Ser valiente hoy en día es hacer lo correcto.

121

Cuando haces algo que tiene valor, lo normal es sentir miedo.

RELACIONES

122

Desarrolla la habilidad de construir buenas relaciones personales.

123

Conviértete en el milagro de las personas.

124

Demuestra aprecio genuino por los demás.

125

La fidelidad tiene que ver con poner la conciencia por encima del ego, el cuerpo y la mente.

126

Ser fiel trae trofeos como armonía, paz, transparencia y libertad.

127

La infidelidad no te ataca de manera superficial, ella ataca todo tu ser.

128

La edificación fortalece la relación.

129

Sin buenas relaciones, no hay éxito.

130

Un buen horizonte en las relaciones es buscar ser apreciado.

131

Las personas son buenas, dales amor y
verás que es verdad.

VENTAS

132

En un mundo tan competitivo, agregar valor a tus ventas es una obligación.

133

Desarrolla estrategias que agreguen valor a las personas.

134

La autoestima genera ventas.

135

Cuando vendes con un propósito te haces libre.

136

La verdadera esencia de las ventas
es ganar – ganar.

137

Una relación honesta, vale 100 ventas.

138

Vender es un acto de conciencia.

139

Define tu visión y vende con propósito.

140

Ama las ventas y las ventas te amarán a ti.

141

90% de las ventas son por convicción,
10% por técnica.

142

La mayor fuente de aprendizaje en las ventas son
los clientes insatisfechos... Aprende de ellos.

PRODUCTIVIDAD

143

Sé diligente, la pereza produce pobreza.

144

La claridad es lo más importante en la productividad.

145

Ser productivo te hace atractivo.

146

Desarrolla un lenguaje productivo, dí
"Hoy mismo".

147

La planificación ayuda a aumentar
la productividad.

148

La productividad es dejar de hacer todo lo que
no debería hacerse.

149

Tu mayor nivel de productividad está más allá de tu zona de confort.

150

La productividad se deriva de pensar cómo aprovechar mejor el tiempo.

COMUNICACIÓN

151

A la hora de comunicar es importante encontrar el momento correcto.

152

El tono y la forma como nos comunicamos son los principales generadores de conflicto.

153

La verdad es un gran requisito para la comunicación exitosa.

154

Comunícate basado en principios y no en opiniones o emociones.

155

La comunicación es la base de una buena relación.

156

Hablar no es lo mismo que comunicar.

157

Piensa sabio y transmite simple.

158

No basta con tener el conocimiento, hay que saberlo expresar.

159

La madurez de una pareja se puede medir por la forma de comunicarse.

160

Genera atracción a la hora de la comunicación.

DINERO

161

Estamos llamados a romper los paradigmas frente al dinero, ese es el camino para activar nuestra prosperidad.

162

El dinero no es causa, es efecto.

163

El dinero potencia lo que eres.

164

El secreto para generar dinero es servir.

165

Primero hay que dar para recibir.

166

Ocultar deudas o gastos estanca el avance financiero.

167

Regla simple del manejo del dinero: gasta menos de lo que ganas.

168

Tener unas finanzas organizadas te da tranquilidad.

169

La Paz viene de la fe, no del dinero, viene de tu relación con Dios, no de los negocios.

170

El dinero no supera el amor.

171

La forma como gastas el dinero, refleja tu filosofía de vida.

ENFOQUE

172

La energía es limitada, por lo tanto, define tus prioridades.

173

Mantente enfocado y visualiza el resultado.

174

Puedes hacer cualquier cosa en la vida, pero no puedes hacerlo todo, es imposible.

175

No hay enfoque en medio del desorden.

176

Para alcanzar tu máximo potencial no te puedes dividir.

177

El compromiso es hermano del enfoque.

178

El problema del enfoque tiene que ver más con la organización que con la concentración.

179

Perseverar sin rumbo fijo no es perseverar, es perder el tiempo.

180

El primer paso para contrarrestar aquello que te desenfoca es identificarlo.

HÁBITOS

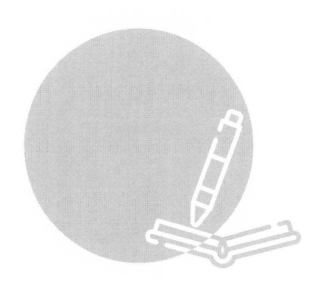

181

Pequeños cambios en nuestros hábitos generan grandes cambios en nuestra vida.

182

Los hábitos ahorran energía.

183

El éxito es igual al hábito y éste a la repetición, y generar repetición demanda disciplina.

184

Los hábitos te construyen o te destruyen.

185

El campo de batalla de tus hábitos es tu mente.

186

La disciplina es el corazón de los hábitos.

187

Tu vida no cambia hasta que no cambies tus hábitos.

188

Los hábitos deben ser por amor y no por miedo.

189

Nuestro día es una suma de hábitos constantes.

190

Los hábitos ayudan al cerebro, a estar ordenado.

LIDERAZGO

191

El liderazgo es una decisión.

192

El liderazgo tiene mucho más que ver con la conciencia que con la técnica.

193

Ser líder es más corazón que mente.

194

El liderazgo implica ayudar a otros sin que necesariamente se gane dinero.

195

El liderazgo tiene un alto nivel de intención, todo líder tiene un propósito.

196

Cambiar tu vida no es liderazgo, el liderazgo es cambiar la vida de los demás.

197

El líder tiene una alta inclinación a la acción.

198

El liderazgo siempre tiene intención y trascendencia y deja un legado.

199

Los líderes no esperan que el futuro llegue, lo crean.

200

El verdadero líder inspira, no manipula.

201

Todo líder es disciplinado.

202

No hay liderazgo genuino sin espiritualidad,
es imposible.

203

La influencia crece con la transparencia.

204

Influyes o te influyen.

EMOCIONES

205

La tristeza nos hace débiles, la felicidad nos hace fuertes.

206

Tu perspectiva del futuro es directamente proporcional a tu nivel emocional.

207

Nunca una persona podrá crear más productividad que la que surge desde su estado emocional.

208

Eres el dueño de tus emociones, por lo tanto, puedes generarlas o transformarlas.

209

El mayor indicador de la inteligencia emocional es la felicidad.

210

Manejar el desbalance entre tiempo real y tiempo deseado es vital para mantener equilibradas nuestras emociones.

211

Comprende que no puedes controlar el tiempo, pero si tus emociones.

212

Tu emoción cambia la percepción.

213

Las emociones son el peor consejero.

214

Cuando la emoción supera la conciencia, el ser humano actúa con incoherencia.

215

La incoherencia genera emociones negativas.

216

La obligación da depresión, la convicción da pasión.

FELICIDAD

217

Hacer lo que amo genera felicidad.

218

Hacer lo correcto te hace feliz.

219

El progreso genera felicidad.

220

Ser feliz termina siendo un acto consciente de decisiones permanentes.

221

El Placer está en el cuerpo, la Felicidad está en la mente y la Plenitud está en el espíritu.

222

La felicidad no puede ser un destino, debe ser permanente.

223

La felicidad está relacionada con la libertad, una persona que no sea libre, dificilmente puede ser feliz.

224

La felicidad no está en lo que los demás piensan de nosotros.

225

La gente feliz es más productiva.

226

El legado más hermoso es aportar a la felicidad de los demás.

227

La felicidad se alimenta de tener objetivos para el futuro.

228

El gozo es espiritual y la felicidad es mental.

229

El gozo es la máxima alegría en el corazón.

230

El gozo viene de hacer lo correcto.

GRATITUD

231

La gratitud es la base de la buena actitud.

232

No agradecer es un síntoma de malestar
en el corazón.

233

La gratitud desde el corazón es el mejor pago
para las personas que te sirven con amor.

234

Ayudar genera gratitud y la gratitud crea armonía en tu vida.

235

La gratitud y la generosidad son características naturales de una conciencia plena.

236

La gratitud en silencio no sirve de nada.

237

El que da, no debe volver a acordarse; pero el que recibe nunca debe olvidar.

238

La gratitud es la memoria del corazón, agradecer hace que tu corazón hable.

239

Ser ingrato es uno de los grandes males del ser humano.

240

La gratitud es un esfuerzo del alma noble.

PROPÓSITO

241

Todos tenemos un propósito, lo que no tenemos
es disciplina.

242

El futuro de cada ser humano está dentro
de sí mismo.

243

No todos los propósitos dan dinero, pero sí todos
los propósitos dan plenitud.

244

Tu mente puede ser un obstáculo
para tu propósito.

245

El propósito siempre grita a tu corazón, lo
importante es disponerte a escucharlo.

246

El propósito normalmente no es lógico porque
nace del corazón no de la mente.

247

El propósito es fuente de energía, pasión, felicidad y plenitud.

248

El mejor indicador de que estás cumpliendo tu propósito es que eres pleno.

249

Tener la sensación de claridad en nuestro corazón, es el estado correcto para poner la acción y así avanzar hacia el resultado.

250

La falta de pasión es falta de visión.

251

No hay nada que despliegue más disciplina, perseverancia y determinación que tener la visión clara en el corazón.

252

El propósito es más importante que la acción. Mucha acción sin propósito es fuente de cansancio y no suma a la prosperidad.

253

El propósito de tus acciones determina el tamaño de tus bendiciones. No tendrás un propósito grande en un corazón cobarde.

254

Entiende que Dios se enfoca en tu propósito y no en tu comodidad.

255

El máximo nivel de energía en la vida es el propósito.

VISIÓN

256

La visión determina tu destino.
Sin visión no hay resiliencia.

257

Un corazón triste, cierra la visión.

258

Una gran visión hace que tus problemas
se vean pequeños.

259

Desarrolla una visión, escríbela y declárala.

260

Los valores más importantes para lograr el éxito se derivan de la visión; si algo te puede dar disciplina, determinación y pasión es la visión.

261

La visión es la energía del progreso. La visión aporta liderazgo.

262

La visión aporta convicción, la convicción aporta pasión, la pasión aporta inspiración, la inspiración aporta influencia y la influencia aporta liderazgo.

263

La visión es futuro, es saber para que lo hago, la visión es constante.

264

La visión es determinante en el proyecto de vida.

265

La visión es el sueño que ves con los ojos del espíritu.

266

La visión es el combustible de la persistencia.

PLENITUD

267

El objetivo de la vida no es ser profesional,
sino pleno.

268

La gratitud está ligada a la plenitud.

269

Ser pleno implica saber que el ser humano
es tripartito.

270

De manera natural, la vida se orienta en dirección a la plenitud.

271

Comprender los principios acorta el camino para llegar a tener una vida en plenitud.

272

Ser feliz es vivir como yo quiero, ser pleno es vivir haciendo lo correcto así no quiera.

273

La plenitud es la fuerza de gravedad espiritual.

274

No hagas nada que vaya en contra de tu plenitud.

275

La plenitud es el objetivo final de todo esfuerzo humano.

AMOR

276

Actúa desde el amor para que tengas
motivación.

277

Cuando hay amor la fuente de pasión se
vuelve inagotable.

278

A mayor amor, mayor acción.

279

El amor es sobrenatural porque no se puede explicar de manera lógica ni de manera científica; por eso, ama.

280

Ama a las personas y no a las cosas.

281

La mejor forma de vivir es amar.

282

El camino de la transparencia te garantiza
amar de verdad.

283

El amor es la mayor expresión de Dios en
nuestras vidas. Ama sin medida.

284

EL verdadero amor es la dicha de hacer
feliz al otro.

285

El amor siempre será tu mejor arma para avanzar en tus relaciones, ama sin condición.

286

Cuando tú sirves estás manifestando el amor hacia los demás.

287

Comprende que amar no requiere de una profesión, es una decisión.

VIDA

288

La muerte da sentido de urgencia a nuestra vida.

289

La muerte no es una equivocación, es parte de la perfección de la vida.

290

Todo aquel que se haga responsable de su vida podrá llevarla a otro nivel.

291

Administrar el tiempo es más importante de lo que parece porque es administrar la vida.

292

Tu vida puede ser un accidente o una vida ideal, vuélvete el mejor actor de tu vida.

293

Nuestra filosofía de vida se construye a base de las creencias.

294

Para direccionar tu vida, eleva tu nivel
de conciencia.

295

Es mejor vivir siendo exitoso que vivir sin serlo,
tu te mereces una vida digna.

296

Para maximizar la vida, hay que minimizar
las cargas.

297

Define tu ideal de vida porque más desgasta la duda de no saber para qué vives que las circunstancias.

298

Tener un ideal de vida, un propósito en la vida, da claridad a nuestras decisiones y ayuda a tener control sobre nuestras emociones.

299

Nosotros somos creadores de nuestro futuro, tenemos la capacidad de direccionar nuestra vida y ser arquitectos de ella.

300

La mayoría de las personas aceptan la vida y pocas la dirigen.

301

Tan solo tu vida es una gran razón para estar motivado.

302

Enfócate en el fondo y no en la forma en todas las cosas de tu vida.

LEYES

303

Las Leyes son Reglas, los Principios son Claves, los Valores son Herramientas de la vida.

304

Una ley es una regla eterna, natural, inamovible, que afectará tu vida si la conoces o si no la conoces.

305

Una ley se compone de varios principios y los valores ayudan a cumplir esos principios.

306

Los principios son reglas o normas que orientan la acción de un ser humano; un principio es lo primordial, lo primero y lo más importante en una ley.

307

Entre más estudies los principios más cerca estarás de cumplirlos.

308

Los valores se llaman valores, porque le dan valor al individuo.

309

Es más importante ser buenas personas que ser inteligentes.

310

La verdad da tranquilidad – Mentir roba la paz.

311

Todo ser humano es bueno en esencia.

312

Amar es la esencia del ser humano.

313

Primero hay que SER para poder TENER.

SABIDURÍA

314

Decidir con sabiduría toma su tiempo.

315

Sabiduría, es el sabor de la vida.

316

La sabiduría no tiene que ser complicada, debe ser simple pero profunda.

317

El discernimiento es hermano de la sabiduría.

318

Mentoría es recibir sabiduría sin el dolor del proceso.

319

La sabiduría tiene que ver con los principios de la vida.

320

La sabiduría es causa de la prosperidad.

321

La sabiduría tiene que ver con lo eterno y la inteligencia cambia con el tiempo.

322

La sabiduría te sirve para hacer lo mejor para todos, la inteligencia te sirve para hacer lo mejor para ti.

CONCIENCIA

323

Tu conciencia es la herramienta más preciosa que te han dado para guiar tu vida, de ella emanan lo correcto, lo perfecto y lo eterno.

324

La conciencia siempre aconseja, lo importante es escucharla.

325

Todas las crisis de la humanidad son crisis de conciencia.

326

Cuando la emoción supera la conciencia el ser humano actúa con incoherencia.

327

Ser consciente es mejor que ser inteligente o talentoso.

328

La conciencia y la intuición son herramientas dadas por Dios.

329

La conciencia juega un papel de omnipresencia.
Puedes engañar a todo el mundo, menos
a ti mismo.

330

Lo que es lógico para la mente, no es lógico
para la conciencia.

331

No hay nada que aporte más al nivel de
productividad que un alto nivel de conciencia.

332

El cerebro busca placer, tu conciencia busca valor.

333

La cultura tiene la capacidad de enceguecer la conciencia.

334

Usualmente buscamos consejo en otras partes, pero el mejor consejo está en tu conciencia.

335

Muchos saben, pero no hacen; la distancia entre conocimiento y aplicación es cuestión de conciencia.

336

El primer elemento para el cambio es la conciencia.

ESPIRITUALIDAD

337

El mayor indicador de la inteligencia espiritual, es la paz, por eso espiritualidad es equilibrio.

338

La espiritualidad es un estado que orienta y da firmeza a nuestros pensamientos, por eso a mayor espiritualidad, mayor enfoque.

339

La esencia de la espiritualidad es, simplemente amar.

340

Ver las cosas con la mente nos hace ciegos espiritualmente.

341

El ser humano tiene necesidades espirituales y son más profundas que las emocionales.

342

La paz, la plenitud y el gozo son anhelos de todo espíritu humano, y solo se logran desde el área espiritual.

343

Dios influye en mi espíritu, mi espíritu en mi conciencia, mi conciencia en mi corazón, mi corazón en mi mente, mi mente en mi cerebro, mi cerebro en mi cuerpo.

344

Lo espiritual es aplicar, la religión es asistir.

345

El éxito espiritual está en el estudio y aplicación de los principios espirituales.

346

Magnifica tu espíritu, magnifica tu mente, magnifica tu cuerpo y tendrás Gloria, Gozo y Gracia.

347

Cuando desarrollas tu mente, buscas lo mejor para ti, cuando desarrollas tu espíritu, buscas lo mejor para los demás.

348

Solo puedes ser pleno si desarrollas tu área espiritual.

349

La soledad y el silencio son el mejor termómetro para verificar si sentimos paz.

350

La verdadera libertad tiene que contribuir a edificarte, no a destruirte. Elige ser libre, no vivas a través de los estereotipos de la sociedad.

351

Haz lo correcto y sé verdaderamente libre.

352

El ego ve el exterior, el espíritu ve el interior.

353

La religiosidad es asistir, la espiritualidad
es aplicar.

DIOS

354

Dios no tiene ego.

355

Dios no solo bendice con dinero, te bendice con salud, amor, familia, talento, sabiduría, etc.

356

Dios no se enfoca en tu comodidad sino en tu propósito.

357

Dios entiende que tú no entiendes.

358

Dios creó leyes inalterables, el juego es entenderlas y cumplirlas.

359

Todo lo que no cumpla nuestro propósito de ser plenos, es de nuestra creación, no del creador, no viene de Dios.

360

Somos buenos por esencia, somos criaturas hechas por Dios, por lo tanto, Él no cambia, nosotros somos los que cambiamos.

361

Dios te ama, Él quiere para ti lo que tú quieres para ti... para eso te dio la vida y por eso creó todo.

362

Dios no tiene elegidos, todos somos perfectos.

363

Con Dios no se quitan los problemas, con Dios lo que tienes es sabiduría para superarlos. Confiar en Dios da paz.

364

Dios no es un modelo o religión.

365

Dios es amor.

REDES SOCIALES

@MEVOLOLATAPA
@CONCIENCIAAPLICADAALEXITO
@MARIPOSASDEMIMENTE
@PROGRAMAHABLEMOSDEEXITO
@NOESFACILPEROVALELAPENA
@LIBROSANDRESLONDONO

@LIDERANDRESLONDONO

WWW.ANDRESLONDONO.COM

Si tienes alguna duda, pregunta o comentario,
escríbeme al correo
contacto@andreslondono.com

OTROS TÍTULOS DEL AUTOR

Made in the USA
Monee, IL
01 September 2021